Les recettes

par Romain Tischenko
et Grégory Cuilleron

hachette PRATIQUE M6ÉDITIONS

KRAFT
PHILADELPHIA
SPÉCIALITÉ FROMAGÈRE
nature
à tartiner et cuisiner
PHILADELPHIA
à tartiner et cuisiner

Philadelphia®, c'est le *cream cheese* par excellence. C'est l'indispensable spécialité fromagère, plus que centenaire, du fameux cheese-cake mais pas seulement ! Car vous pouvez la savourer en sauce, en gratin, sur des tartines, dans un gâteau, en panna cotta, dans une farce ou dans des pâtes. Philadelphia® se glisse partout et rend toutes vos préparations plus onctueuses et plus gourmandes.

Les chefs Grégory Cuilleron et Romain Tischenko vous le prouvent avec ces 40 délicieuses recettes. Découvrez-le en toping sur des mini-cupcakes salés pour l'apéro, en accompagnement d'un carpaccio de betteraves ou encore en mousse dans un framboisier minute.

Philadelphia®, c'est une large gamme de saveurs à (re)découvrir : nature, light, au saumon fumé et aneth, ails et fines herbes ou avec Milka®.

Les chefs

Romain Tischenko

Grand vainqueur de *Top Chef* 2010, diffusée sur M6, Romain Tischenko a ouvert avec son frère son premier restaurant, Le Galopin, l'année dernière. Il y propose une carte qui se renouvelle tous les jours et qu'il élabore avec des produits du marché.

Romain est un chef en constante ébullition qui aime cuisiner à l'instinct. Ce Normand d'origine a fait ses armes au Palais de la Méditerranée, à Nice. Il a enchaîné par une saison à Megève, puis au Grand-Hôtel de Saint-Jean-de-Luz, avant d'aller travailler au côté de William Ledeuil à Ze Kitchen Galerie, à Paris.

Romain Tischenko est l'auteur *Du style dans l'assiette*. L'ouvrage est sorti chez Hachette Pratique.

Grégory Cuilleron

Grégory est le gagnant de la première saison *Un dîner presque parfait*, diffusée sur M6 en 2008. Il sort de nouveau vainqueur de la spéciale *Un dîner presque parfait : le combat des régions*, puis participe à *Top Chef*, où il fait la connaissance de Romain Tischenko.

En 2011, Grégory ouvre Épicerie & Compagnie, puis reprend le café restaurant Fénet, tous deux situés à Sainte-Foy-lès-Lyon.

Il est, depuis 2010, l'ambassadeur de l'AGEFIPH, association de gestion du fonds pour l'insertion professionnelle des personnes handicapées.

Il est l'auteur de deux ouvrages parus chez M6 Éditions, *Dans la cuisine de Grégory* et *Dans le bistrot de Grégory*.

Sommaire

Les apéritifs

Les entrées

Les plats

Les desserts

Les apéritifs

Langues-de-chat salées à tartiner

Préparation : 10 min
Cuisson : 10 min

POUR 4 PERSONNES
Pour la pâte
50 g de beurre demi-sel
30 g de sucre glace
60 g de farine
2 blancs d'œufs
1 pincée de fleur de sel

Pour la garniture
80 g de Philadelphia®
saumon fumé & aneth
80 g de Philadelphia® ail
& fines herbes

Préchauffez le four à 170 °C (th. 5-6).

Commencez par mélanger énergiquement le beurre et le sucre glace tamisé jusqu'à ce que le mélange soit mousseux. Incorporez alors les blancs d'œufs, la farine elle aussi tamisée et la fleur de sel.

À l'aide d'une poche à douille, sur une plaque à pâtisserie recouverte de papier sulfurisé, étalez de longues et étroites bandes de pâte (une dizaine de centimètres) en prenant soin de bien les espacer.

Enfournez une dizaine de minutes, jusqu'à ce que les bords des langues-de-chat soient légère-ment colorés. Laissez refroidir avant de détacher délicatement avec une spatule les biscuits du papier sulfurisé. Proposez aux convives de tarti-ner les langues-de-chat, selon leurs goûts, avec du Philadelphia® saumon fumé & aneth ou du Philadelphia® ail & fines herbes.

Conseil du chef
Vous pouvez aussi parfumer votre Philadelphia® nature avec un brin d'aneth finement ciselé et 1 cuillerée à soupe de saumon fumé haché menu.

Fish and chips chic

Préparation : 20 min
Cuisson : 15 min

POUR 4 PERSONNES
2 filets (sans peau) de
dorade sébaste
1 grosse pomme de terre
150 g de chapelure fine
2 pincées de cardamome
en poudre
1 œuf
40 g de farine
100 g de Philadelphia®
nature
2 pincées de curcuma
1 pincée de curry
classique
10 cl de lait
Huile d'arachide pour
la friture

Assaisonnez les filets de poisson en sel et poivre,
puis taillez chacun en 4 longues lanières. Glissez
une longue pique en bois dans chaque lanière de
poisson. Trempez les brochettes successivement
dans la farine, l'œuf battu avec un peu d'eau puis
dans la chapelure parfumée à la cardamome.
Réservez les brochettes de poisson pané au frais.

Épluchez la pomme de terre, émincez-la en
lamelles avec une mandoline et retaillez-la en fine
julienne. Essuyez-la dans un linge avant de plonger
les filaments de pommes dans l'huile bien chaude.
Faites dorer les brochettes de poisson dans une
poêle avec un peu d'huile d'arachide.

Faites fondre le Philadelphia® nature avec le lait,
le curcuma et le curry doux.

Façonnez des petits cornets de papier sulfurisé
pour présenter les brochettes de poisson et les
frites paille. Versez la sauce Philadelphia® dans
des petits bols.

Cubes « presque mojito » glacés

Préparation : 10 min
Congélation : 1 h 30

POUR 4 PERSONNES
100 g de Philadelphia®
nature
6 feuilles de menthe
1 citron vert
1 c. à s. de sirop de sucre
de canne

Commencez par piler longuement les feuilles de menthe, le citron coupé en morceaux et le sirop de sucre de canne. Filtrez cette préparation à travers un chinois.

Dans un saladier, mélangez-la énergiquement avec le Philadelphia® nature. Répartissez le tout dans des bacs à glaçons.

Laissez prendre 30 minutes au congélateur avant de glisser un bâtonnet en bois dans chaque cube (il doit tenir bien droit) et réservez encore 1 heure au congélateur.

Démoulez au dernier moment et dégustez comme un bâtonnet de glace.

Mini-cupcakes salés

Préparation : 10 min
Cuisson : 15 min

POUR 4 PERSONNES

Pour la pâte
200 g de farine
100 g de jambon cru
100 g de parmesan
50 g de Philadelphia®
nature
3 œufs
1 sachet de levure
chimique

Pour la garniture
1 c. à c. rase de
gingembre frais haché
2 pincées de graines de
fenouil
6 brins de ciboulette
100 g de Philadelphia®
nature

Préchauffez le four à 180 °C (th. 6).

Dans un saladier, battez les œufs avec 50 g de Philadelphia®. Quand la préparation est bien homogène, incorporez la farine, la levure chimique, le parmesan râpé, puis le jambon cru grossièrement haché. Rectifiez l'assaisonnement et répartissez la pâte dans des petites caissettes en papier. Enfournez 15 minutes. Démoulez et laissez refroidir.

À l'aide d'un couteau à beurre, malaxez les 100 g de Philadelphia® nature avec le gingembre frais haché, les graines de fenouil et la ciboulette ciselée. Disposez le tout dans une poche en plastique. Coupez la pointe ou dotez la poche d'une douille cannelée. Nappez chaque cake avec la crème de Philadelphia® et servez aussitôt.

Panna cotta aux crevettes

Préparation : 15 min
Cuisson : 10 min

POUR 4 PERSONNES
Pour les sablés
75 g de biscuits apéritif
(type Tuc® ou crackers
Belin®)
40 g de beurre demi-sel
2 œufs

Pour la panna cotta
200 g de Philadelphia®
nature
10 cl de lait
8 crevettes roses
décortiquées
50 g de guacamole

Préchauffez le four à 180 °C (th. 6).

Faites chauffer à feu doux le lait avec le Philadelphia® nature. Assaisonnez de sel et de poivre. Répartissez les crevettes coupées en morceaux dans le fond de 4 verres. Versez le Philadelphia® et réservez au frais.

Mixez les biscuits apéritif en chapelure. Dans un saladier, malaxez cette chapelure avec le beurre demi-sel ramolli et les œufs. Quand les ingrédients forment une pâte homogène, étalez-la et disposez-la dans des moules en silicone en forme de petites cuillères. Enfournez 7 à 8 minutes.

Laissez refroidir avant de démouler délicatement les cuillères apéritives. Étalez une fine couche de guacamole sur les panna cotta de Philadelphia® aux crevettes. Dégustez avec les cuillères apéritives.

Mini-burgers au poulet façon tandoori

Préparation : 20 min
(hors temps de levée de la pâte)
Marinade : 1 h
Cuisson : 15 min

POUR 4 PERSONNES

Pour les petits pains à hamburger
120 g de préparation pour pains (rayon farine au supermarché)
1 blanc d'œuf
1 c. à s. de sésame blanc

Pour la farce
200 g de filets de poulet haché
100 g de Philadelphia® nature
4 pincées de mélange tandoori
1 œuf
1 citron jaune non traité
80 g de poudre d'amandes
1 filet d'huile d'arachide

Pour la garniture
100 g de Philadelphia® ail & fines herbes
4 pétales de tomates confites à l'huile d'olive
2 oignons frais

À la main, ou avec une machine à pain (programme pâte), réalisez la pâte à pain selon les indications inscrites sur l'emballage de la préparation pour pains.

Dans un saladier, mélangez le poulet haché, le jus et le zeste du citron râpé, le Philadelphia® nature, le mélange tandoori. Salez et poivrez. Laissez mariner 1 heure au frais avant d'ajouter l'œuf et la poudre d'amandes. Confectionnez 8 boulettes de la taille d'une noix.

Façonnez 8 boules de pain, aplatissez-les légèrement sur une plaque à pâtisserie antiadhésive. Badigeonnez légèrement au pinceau les pains avec le blanc d'œuf et parsemez-les de graines de sésame. Enfournez une dizaine de minutes à 230 °C (th. 7-8).

Pendant ce temps, faites revenir les boulettes de poulet, légèrement aplaties, dans une poêle avec l'huile d'arachide. Coupez les pains à hamburger en deux. Badigeonnez-les de Philadelphia® ails & fines herbes et garnissez chaque burger avec un demi-pétale de tomate confite, du poulet et de fines lamelles d'oignons frais. Dégustez chaud.

Raisins et olives en coque de Philadelphia®

Préparation : 10 min

POUR 4 PERSONNES
8 grains de raisin blanc Italia
8 grosses olives noires dénoyautées
30 g de pistaches vertes
80 g de Philadelphia® nature
80 g de Philadelphia® ail & fines herbes
6 brins de ciboulette

Enrobez les grains de raisin d'une fine couche de Philadelphia® nature. Hachez grossièrement les pistaches vertes et roulez les raisins enrobés de Philadelphia® dedans.

Procédez de la même façon pour enrober les olives dénoyautées de Philadelphia® ail & fines herbes. Roulez-les ensuite dans la ciboulette ciselée.

Plantez des piques de bois dans chaque raisin et olive. Servez bien frais.

Rillettes de poulet
aux graines de grenade

Préparation : 20 min
Cuisson : 10 min

POUR 4 PERSONNES
300 g de filet de poulet
sans peau
150 g de Philadelphia®
light
2 brins d'estragon
3 échalotes
1 grenade
1 filet d'huile d'olive

Plongez les filets de poulet dans une casserole remplie d'eau froide. Portez à ébullition et laissez cuire à feu doux 10 minutes. Égouttez les filets de poulet et plongez-les aussitôt dans un saladier d'eau froide avec des glaçons. Quand la viande est froide, séchez-la sur du papier absorbant. Avec un rouleau à pâtisserie, battez les filets de poulet quelques instants. Cette technique asiatique permet d'obtenir un poulet extrêmement moelleux. Effilochez les filets.

Dans une poêle, faites cuire, à feu doux, les échalotes dans un filet d'huile d'olive jusqu'à ce qu'elles soient confites.

Dans un saladier, mélangez longuement le Philadelphia® light avec les échalotes confites, les feuilles d'estragon ciselées et les filaments de poulet. Rectifiez l'assaisonnement. Égrainez la grenade.

Répartissez les rillettes de poulet dans des petites coupelles, parsemez de graines de grenade et servez avec de belles tranches de pain grillé.

Conseil du chef
À défaut de grenade et selon la saison, vous pouvez parsemer cette salade de poulet de lamelles de mangue nature ou de fines tranches d'abricot poêlées.

Bouchées carrot cake au cumin

Préparation : 10 min
Cuisson : 18 min

POUR 4 PERSONNES

Pour le carrot cake
150 g de farine blanche
50 g de farine de seigle
1 sachet de levure chimique
250 g de carottes
10 cl de lait
2 œufs
1 pincée de cannelle en poudre
2 pincées de cumin en poudre

Pour la garniture
130 g de Philadelphia® nature
1 c. à s. de miel
60 g de cacahuètes nature

Préchauffez le four à 180 °C (th. 6).

Dans un saladier, mélangez la farine blanche, la farine de seigle, la levure, la cannelle et le cumin.

Dans un bol, battez les œufs en omelette avec le lait et versez la préparation dans le saladier. Mélangez vigoureusement pour bien mêler les ingrédients. Incorporez alors les carottes râpées. Répartissez cette préparation dans des moules en silicone en forme de darioles ou de cannelés et enfournez une quinzaine de minutes. Démoulez et laissez refroidir sur une grille.

Dans une poêle, sans ajouter de matière grasse, faites torréfier les cacahuètes nature grossièrement hachées. Retirez-les de la poêle dès qu'elles commencent à colorer.

Mélangez le Philadelphia® avec le miel et badigeonnez les dômes des carrot cakes avec cette préparation. Parsemez d'éclats de cacahuètes et servez aussitôt.

California rolls aux légumes croquants

Préparation : 20 min
Cuisson : 12 min

POUR 4 PERSONNES
Pour le riz
150 g de riz rond japonais
2 c. à s. de vinaigre de riz
2 c. à c. rases de sel fin
1 c. à c. rase de sucre

Pour la garniture
150 g de Philadelphia®
light ciboulette
50 g de bâtonnets
de carottes crues
50 g de bâtonnets
de betteraves crues
4 asperges vertes cuites
al dente
2 c. à s. de sésame doré

Lavez plusieurs fois le riz. Égouttez-le. Versez-le dans une sauteuse, recouvrez-le avec 25 cl d'eau froide, couvrez et portez à ébullition. Laissez frémir 2 minutes poursuivez la cuisson 10 minutes à feu doux et à couvert. Faites dissoudre le sucre et le sel dans le vinaigre chaud. Versez sur le riz tout en mélangeant délicatement.

Découpez une feuille de film alimentaire. Étalez une couche de riz tiède, en formant un grand rectangle et en pressant légèrement avec les doigts bien humidifiés. Tartinez une bande de Philadelphia® au centre du rectangle de riz puis déposez des bâtonnets de carottes, de betteraves et deux asperges vertes. Roulez le tout en vous aidant du film transparent. Pressez le rouleau et renouvelez l'opération avec le reste des ingrédients.

Réservez au frais et taillez des rouleaux de 1 cm d'épaisseur. Roulez les california rolls dans le sésame avant de les servir.

Les entrées

Pizzette blanche au saumon

Préparation : 5 min
Cuisson : 8 à 9 min

POUR 4 PERSONNES
200 g de pâte à pizza
150 g de Philadelphia®
light ciboulette
4 tranches de saumon
fumé
1 c. à s. d'huile d'olive
1 c. à c. de jus de citron
50 g de roquette
Sel, poivre

Préchauffez le four à 200 °C (th. 6-7).

Étalez finement la pâte à pizza. À l'aide d'un bol d'une dizaine de centimètres de diamètre, utilisé en guise d'emporte-pièce, taillez 4 disques de pâte.

Disposez-les sur une plaque à pâtisserie anti-adhésive. Badigeonnez-les légèrement d'huile d'olive et enfournez 8 à 9 minutes.

Recouvrez les pizzettes encore chaudes de Philadelphia® light ciboulette, parsemez-les de saumon effiloché et déposez un joli buisson de roquette légèrement assaisonnée d'huile d'olive, de jus de citron, de sel et de poivre. Dégustez sans tarder.

Conseil du chef
Aromatisez votre Philadelphia® nature avec trois brins de ciboulette finement ciselés.

Palet de Philadelphia® pané, tagliatelles d'asperge

Préparation : 15 min
Cuisson : 7 min

POUR 4 PERSONNES
1 barquette de 150 g
de Philadelphia® nature
120 g de chapelure fine
12 feuilles de basilic
12 asperges vertes
1 filet d'huile d'olive

Préchauffez le four à 220 °C (th. 7).

Mixez la chapelure et le basilic. Formez des palets de Philadelphia® nature et enrobez-les de chapelure au basilic sur toutes les faces. Déposez-les dans un plat, arrosez-les de quelques gouttes d'huile d'olive et enfournez pour 6 minutes.

Avec une mandoline, taillez des lamelles d'asperges dans le sens de la longueur.

Dans une poêle, avec de l'huile d'olive, faites sauter très vivement les tagliatelles d'asperges quelques secondes. Répartissez-les dans les assiettes avant de déposer les palets de Philadelphia®, chauds et fondants.

Millefeuille de champignons de Paris et jambon croustillant

Préparation : 10 min
Cuisson : 7 min

POUR 4 PERSONNES

150 g de Philadelphia® ail
& fines herbes
4 gros champignons
de Paris bien fermes
4 tranches très fines
de jambon cru
1 c. à s. d'huile de noisette
2 pincées de poivre
mignonnette

Préchauffez le four à 180 °C (th. 6).

Étalez les tranches de jambon cru entre deux feuilles de papier sulfurisé et enfournez-les 7 minutes pour les rendre croustillantes. Laissez-les refroidir sur une grille.

Épluchez le chapeau des champignons (enlevez simplement une fine couche de peau) et émincez-les finement avec une mandoline. Dans chaque assiette, disposez quelques lamelles de champignons, une fine couche de Philadelphia® ail & fines herbes et renouvelez l'opération pour monter le millefeuille.

Arrosez de quelques gouttes d'huile de noisette, assaisonnez de poivre mignonnette et parsemez de copeaux de jambon cru croustillant.

Tartelette crabe et crème d'avocat

Préparation : 15 min
Cuisson : 15 min

POUR 4 PERSONNES
150 g de Philadelphia®
light nature
120 g de pâte brisée
1 boîte de crabe au naturel
2 avocats
1 citron vert

Préchauffez le four à 200 °C (th. 6-7).

Étalez finement la pâte brisée et disposez-la dans 4 moules individuels rectangulaires, chemisés de papier sulfurisé. Remplissez les fonds de pâte de légumes secs et enfournez-les 15 minutes.

Pendant ce temps, épluchez un avocat et taillez des billes à l'aide d'une cuillère parisienne. Réservez-les.

Disposez les parures du premier avocat ainsi que le deuxième avocat épluché dans un mixeur. Ajoutez le jus de citron vert, le Philadelphia® light nature, du sel et du poivre. Mixez le tout pour obtenir une texture crémeuse.

Retirez les légumes secs des fonds de tartelettes, laissez-les refroidir avant de les garnir de crème d'avocat. Égouttez le crabe et émiettez-le sur les tartelettes. Disposez les billes d'avocat juste avant de servir.

Une entrée de **Grégory Cuilleron**

Terrine de lapin et gribiche

Préparation : 20 min
Cuisson : 45 min

POUR 4 PERSONNES
Pour la terrine
3 cuisses de lapin
1 oignon
1 bouquet garni
1 litre de bouillon
de volaille
1 pincée de poivre blanc
2 feuilles de gélatine
1 filet d'huile d'arachide

**Pour la sauce façon
gribiche**
150 g de Philadelphia®
light ciboulette
1 œuf dur
1 c. à s. de cornichons
hachés
1 c. à c. de câpres
hachées

Dans une casserole, avec l'huile d'arachide, faites légèrement colorer les cuisses de lapin avec l'oignon émincé. Arrosez de bouillon de volaille et complétez avec de l'eau. La viande doit être complètement immergée. Ajoutez le bouquet garni, les grains de poivre et un peu de sel. Laissez mijoter 45 minutes, jusqu'à ce que la viande se détache bien de l'os. Laissez tiédir pour effilocher facilement la viande.

Récupérez le jus de cuisson (environ 10 cl), faites-le réchauffer et incorporez les feuilles de gélatine préalablement ramollies dans de l'eau froide et essorées.

Tapissez une petite terrine avec du film alimentaire, disposez la viande de lapin et arrosez avec le jus. Tassez bien et réservez au frais.

Malaxez le Philadelphia® avec l'œuf dur haché, les cornichons et les câpres. Servez de belles tranches de terrine de lapin avec cette version de la fameuse sauce gribiche.

Cheesecake au jambon à l'os

Préparation : 15 min
Cuisson : 40 min

POUR 4 PERSONNES
60 g de crackers apéritif Belin®
30 g de beurre fondu

Pour la garniture
250 g de Philadelphia® nature
40 g de farine
3 pincées de muscade
1 œuf
5 cl de crème fleurette
250 g de jambon à l'os

Préchauffez le four à 180 °C (th. 6).

Dans un saladier, mélangez les crackers réduits en miettes et le beurre fondu. Déposez un moule à charnière de 12 cm de diamètre sur une plaque à pâtisserie antiadhésive, tapissez le fond de pâte à base de crackers en tassant légèrement. Faites cuire 10 minutes au four.

Coupez le jambon à l'os en gros morceaux et étalez-le sur le fond de pâte.

Pendant ce temps, mélangez rapidement le Philadelphia®, la crème fleurette, la muscade, la farine et l'œuf. Versez cette pâte dans le moule et enfournez 30 minutes. Éteignez le four et laissez le cheesecake à l'intérieur, avec la porte entrouverte, pendant une vingtaine de minutes.

Démoulez le cheesecake et réservez-le au frais.

Conseil du chef

Vous pouvez servir le cheesecake au jambon à l'os avec une salade de jeunes pousses.

Carpaccio de betteraves

Préparation : 15 min
Cuisson : 2 min

POUR 4 PERSONNES
1 betterave rouge crue
1 betterave jaune crue
1 betterave bicolore
Chioggia crue
150 g de Philadelphia®
nature
10 cl de lait
1 citron vert
Fleur de sel et poivre
mignonnette
Quelques brins de cerfeuil
1 c. à s. d'huile de sésame

Épluchez les betteraves et émincez-les très finement avec une mandoline.

Faites chauffer à feu doux le Philadelphia® et le lait pour obtenir une texture fondante.

Dans un bol, mélangez le Philadelphia® fondu avec le jus et le zeste du citron vert, du sel et du poivre.

Nappez le fond de quatre assiettes avec la sauce Philadelphia®. Déposez par-dessus des lamelles de betterave en variant les couleurs. Parsemez de cerfeuil et versez quelques gouttes d'huile de sésame. Assaisonnez d'un peu de fleur de sel et de poivre mignonnette.

Trifle kiwi, asperges et saumon

Préparation : 10 min
Cuisson : 10 min
Réfrigération : 1 h

POUR 4 PERSONNES
200 g de Philadelphia®
light ciboulette
10 cl de lait
180 g de saumon fumé
1 kiwi
8 asperges vertes
4 mini-blinis

Plongez les asperges vertes 8 minutes dans de l'eau bouillante salée, égouttez-les et refroidissez-les aussitôt dans un saladier rempli d'eau glacée. Séchez-les sur du papier absorbant. Effilochez le saumon fumé. Épluchez et taillez le kiwi en petits dés. Faites fondre à feu très doux le Philadelphia® light ciboulette avec le lait puis laissez tiédir.

Versez un peu de préparation à base de Philadelphia® dans le fond de 4 verres, répartissez le saumon, déposez un mini-blini puis recouvrez avec le reste de Philadelphia. Réservez 1 heure au frais.

Au moment de servir, couvrez la surface des trifles avec les dés de kiwi. Servez avec les asperges croquantes en guise de mouillettes.

Conseil du chef

Si vous ne disposez pas de Philadelphia® light ciboulette, aromatisez votre Philadelphia® nature avec 12 brins de ciboulette finement ciselés.

Céleri-rave cuit en croûte de sel

Préparation : 15 min
Cuisson : 2 h

POUR 4 PERSONNES
1 gros céleri-rave
1,5 kg de gros sel marin

Pour la sauce
100 g de Philadelphia®
light nature
1 boîte de thon au naturel
de 190 g
1 c. à c. rase de câpres
8 câpres à queue
2 filets d'anchois à l'huile
Quelques feuilles
d'estragon

Étalez une couche de sel de 2 cm dans le fond d'une cocotte. Déposez le céleri-rave (non épluché, simplement brossé sous un filet d'eau) et recouvrez complètement de gros sel marin. Enfournez 2 heures à 180 °C (th. 6).

Sortez la cocotte du four et laissez-la complètement refroidir.

Mixez le Philadelphia® avec le thon (et l'eau présente dans la conserve), la cuillerée de câpres et les filets d'anchois. Rectifiez l'assaisonnement, surtout en poivre.

Cassez la coque de sel. Épluchez le céleri-rave et taillez de fines tranches.

Dans chaque assiette, étalez une fine couche de sauce au thon, déposez les tranches de céleri-rave et nappez avec un peu de sauce. Déposez deux câpres à queue et quelques feuilles d'estragon dans chaque assiette.

Petits farcis froids

Préparation : 20 min
Cuisson : 15 min

POUR 4 PERSONNES
8 mini-légumes (au choix :
tomates cocktail, mini-
poivrons, mini-courgettes,
champignons de Paris)
200 g de Philadelphia® ail
& fines herbes
2 filets d'anchois à l'huile
d'olive
80 g d'olives noires
dénoyautées
20 g d'amandes blanches
1 filet d'huile d'olive
3 brins de thym frais

Préchauffez le four à 180 °C (th. 6).

Décalottez les tomates, les courgettes et les poivrons, videz-les et réservez-les sur du papier absorbant. Détachez les pieds des champignons et hachez-les finement. Disposez les courgettes évidées et les poivrons dans un plat avec l'huile d'olive, du sel, du poivre et les brins de thym. Enfournez 10 minutes. Ajoutez les têtes des champignons et les tomates dans le plat, poursuivez la cuisson 5 minutes. Laissez refroidir les légumes.

Dans un bol, malaxez le Philadelphia® ail & fines herbes. Incorporez les filets d'anchois hachés, les olives noires émincées et les amandes concassées. Mélangez longuement tous ces ingrédients pour obtenir une texture homogène.

Garnissez généreusement les légumes évidés avec cette farce. Pour les champignons, disposez une boulette de farce entre deux chapeaux de champignon.

Les plats

Un plat de **Grégory Cuilleron**

Papardelles aux moules et crème de Philadelphia® au safran

Préparation : 25 min
Cuisson : 20 min

POUR 4 PERSONNES
2 litres de moules
de bouchot
2 échalotes
20 g de beurre
15 cl de vin blanc
150 g de Philadelphia®
nature
6 filaments de safran
1 jaune d'œuf
250 g de papardelles
1 filet d'huile d'arachide

Dans une grande casserole, avec l'huile d'arachide et le beurre, faites cuire à feu doux les échalotes finement hachées, sans coloration. Ajoutez les moules soigneusement lavées et brossées. Versez le vin blanc, couvrez et laissez cuire à feu vif jusqu'à ce que les moules s'entrouvrent. Décoquillez-les et passez le jus de cuisson au chinois.

Dans une casserole, portez à ébullition le jus de cuisson des moules et le Philadelphia®. Ajoutez le safran et rectifiez l'assaisonnement. Laissez mijoter à feu doux quelques minutes, le temps de faire cuire les papardelles. Faites réchauffer les moules dans la sauce, incorporez le jaune d'œuf et mélangez vivement.

Faites cuire les pâtes dans un grand volume d'eau bouillante salée. Égouttez-les et mélangez-les à la sauce bien chaude. Servez aussitôt.

Paupiette froide de saumon fumé aux petits pois

Préparation : 20 min
Cuisson : 10 min

POUR 4 PERSONNES
250 g de petits pois
frais écossés
200 g de Philadelphia®
light ciboulette
8 tranches de saumon
fumé
120 g de caviar
d'aubergine
40 g d'olives noires
2 oignons frais

Plongez les petits pois 10 minutes dans une casserole d'eau bouillante salée. Égouttez-les en conservant l'eau de cuisson, puis plongez-les dans de l'eau glacée. Égouttez-les à nouveau. Réservez une douzaine de petits pois pour le dressage. Mixez le reste des petits pois avec le Philadelphia® et une louche de bouillon de cuisson. Filtrez avec un chinois et réservez bien au frais.

Mélangez le caviar d'aubergine avec les olives noires concassées et les oignons frais hachés.

Sur le plan de travail, disposez 2 tranches de saumon fumé en croix. Déposez un peu de farce à l'aubergine au centre, repliez les tranches de saumon vers le centre pour former un petit édredon. Renouvelez l'opération avec le reste des ingrédients.

Dressez le velouté de petits pois dans le fond des assiettes creuses, puis déposez les paupiettes de saumon et les petits pois entiers.

Conseil du chef

Vous pouvez aussi parfumer votre Philadelphia® nature avec une douzaine de brins de ciboulette finement ciselés.

Tournedos de bœuf aux champignons des bois, tomates cerise gratinées

Préparation : 15 min
Cuisson : 20 min

POUR 4 PERSONNES
4 tournedos de bœuf
400 g de champignons des bois
16 tomates cerise
1 gousse d'ail
6 brins de persil plat
100 g de Philadelphia® ail & fines herbes
50 g de chapelure
1 filet d'huile d'arachide
30 g de beurre

Préchauffez le four à 180 °C (th. 6).

Coupez les tomates cerise en deux et répartissez-les dans quatre petits ramequins.

Mixez le persil, la gousse d'ail épluchée et la chapelure. Recouvrez les tomates cerise de Philadelphia® ail & fines herbes. Saupoudrez avec les deux tiers de la chapelure persillée. Enfournez 10 minutes.

À part, faites cuire sur feu doux les champignons jusqu'à évaporation de l'eau de végétation. Dans la même poêle avec l'huile d'arachide et le beurre, faites cuire les tournedos aux côtés des champignons des bois qui s'imprégneront ainsi des sucs de cuisson.

Saupoudrez les champignons de chapelure persillée, servez-les avec les tournedos et les tomates cerise gratinées.

Cannellonis de courgette à la morue

Préparation : 25 min
Cuisson : 20 min

POUR 4 PERSONNES
3 courgettes
600 g de morue dessalée
250 g de Philadelphia®
light nature
20 cl de lait
2 pincées de muscade
Sel, poivre

Plongez la morue dessalée dans de l'eau frémissante. Laissez cuire 5 à 6 minutes avant d'égoutter et d'émietter le poisson. Dans un saladier, mélangez la morue émiettée avec 200 g de Philadelphia® light.

À l'aide d'un rasoir à légumes ou une mandoline, taillez de fines et longues lamelles de courgette. Faites-les cuire 2 minutes dans un cuit-vapeur.

Sur le plan de travail, étalez quatre lamelles de courgette, côte à côte, en les superposant légèrement. Déposez un peu de farce à une extrémité et roulez pour former des cannellonis. Disposez-les au fur et à mesure dans un grand plat à gratin ou dans des ramequins individuels (prévoyez alors trois rouleaux par personne). Faites fondre le reste du Philadelphia® avec le lait. Assaisonnez de sel, de poivre et de muscade. Versez sur les cannellonis et enfournez 12 minutes à 200 °C (th. 6-7).

Mignon de porc en croûte de moutarde à l'ancienne

Préparation : 10 min
Cuisson : 18 min

POUR 4 PERSONNES
600 g de mignon de porc
2 c. à s. de moutarde à l'ancienne
200 g de Philadelphia® nature
8 échalotes
1 filet d'huile d'arachide
30 g de beurre
2 brins de thym frais
1 feuille de laurier
20 cl de vin blanc
Sel, poivre

Préchauffez le four à 200 °C (th. 6-7).

Taillez le mignon de porc en 4 portions égales. Assaisonnez-les et faites dorer toutes les faces quelques minutes à feu vif. Retirez-les de la poêle et séchez-les sur du papier absorbant.

Mélangez le Philadelphia® nature avec la moutarde à l'ancienne. Badigeonnez chaque morceau de viande avec cette préparation moutardée.

Dans une cocotte, avec l'huile d'arachide et le beurre, faites colorer légèrement les échalotes épluchées et coupées en deux. Assaisonnez de sel, de poivre, de thym et de laurier. Incorporez les morceaux de viande dans la cocotte, arrosez de vin blanc et enfournez 15 minutes.

Conseil du chef

Vous pouvez servir ce plat avec du riz blanc, par exemple.

Un plat de **Grégory Cuilleron**

Risotto fondant au citron et aiguillettes de poulet

Préparation : 10 min
Cuisson : 25 min

POUR 4 PERSONNES
250 g de riz rond
2 litres de bouillon
de volaille
2 filets de poulet
2 échalotes
20 cl de vin blanc sec
120 g de Philadelphia®
nature
1 citron jaune non traité
60 g de beurre
1 filet d'huile d'arachide

Dans une cocotte, faites suer les échalotes finement hachées dans un filet d'huile d'arachide et 30 g de beurre. Versez le riz rond et remuez longuement pour bien enrober les grains de riz. Versez le vin blanc puis ajoutez le bouillon de volaille chaud, louche après louche. Faites cuire le risotto à feu doux une vingtaine de minutes sans cesser de remuer.

Quand le risotto est prêt, retirez-le du feu, incorporez le zeste râpé du citron et le Philadelphia® coupé en morceaux. Mélangez énergiquement et couvrez quelques minutes.

Dans une poêle, avec un peu d'huile d'arachide et le reste du beurre, faites saisir le poulet préalablement taillé en aiguillettes. Assaisonnez, arrosez de jus de citron et servez le risotto fondant dans des assiettes creuses avec les aiguillettes de poulet dorées.

Raviole ouverte de rouget

Préparation : 15 min
Cuisson : 20 min

POUR 4 PERSONNES
4 feuilles de lasagne
8 filets de rouget
désarêtés
4 blancs de poireau
30 g de beurre
200 g de Philadelphia® ail
& fines herbes
15 cl de lait
1 filet d'huile d'olive
2 citrons confits à l'huile
d'olive

Émincez finement les poireaux et faites-les cuire à feu doux dans une sauteuse avec le beurre. Couvrez et laissez mijoter en mélangeant souvent. Quand la fondue de poireaux est très souple, ajoutez le lait et le Philadelphia® ail & fines herbes. Laissez cuire quelques minutes.

Dans une casserole d'eau bouillante salée, faites cuire les feuilles de lasagne une dizaine de minutes.

Dans une poêle antiadhésive, avec l'huile d'olive, faites saisir les filets de rougets. Commencez par les cuire côté peau, puis retournez-les délicatement.

Dans chaque assiette, dressez un peu de fondue de poireaux, 1 demi-feuille de lasagne, 2 filets de rouget, à nouveau de la fondue de poireaux et enfin l'autre demi-feuille de lasagne en quinconce. Déposez quelques lamelles de citron confit et dégustez aussitôt.

Penne carbonara
aux saveurs marines

Préparation : 10 min
Cuisson : 15 min

POUR 4 PERSONNES
400 g de penne
100 g de pétoncles
150 g de saumon frais
80 g de haddock
2 jaunes d'œufs
120 g de Philadelphia®
saumon fumé & aneth
10 cl de lait
40 g de beurre
2 échalotes
1 filet d'huile d'arachide

Plongez les pâtes une dizaine de minutes dans de l'eau bouillante salée.

Pendant ce temps, dans une sauteuse, avec le beurre et l'huile d'arachide, faites cuire à feu doux les échalotes finement hachées. Ajoutez le haddock coupé en allumettes comme des lardons et le saumon coupé en cubes. Incorporez le Philadelphia® et le lait. Rectifiez l'assaisonnement en poivre uniquement (le haddock est très salé) puis ajoutez les pétoncles. Laissez cuire encore 3 minutes.

Égouttez les pâtes et incorporez-les dans la sauteuse. Mélangez longuement pour bien enrober les penne de sauce.

Hors du feu, ajoutez les jaunes d'œufs et mélangez encore.

Servez bien chaud.

Un plat de **Grégory Cuilleron**

Gratin de mini-quenelles

Préparation : 10 min
Cuisson : 15 min

POUR 4 PERSONNES
2 barquettes de 300 g
de mini-quenelles nature
Giraudet®
250 g de Philadelphia®
saumon fumé & aneth
30 cl de lait
3 échalotes
50 g de beurre

Préchauffez le four à 220 °C (th. 7-8).

Dans une petite casserole, faites fondre les écha-lotes finement hachées dans le beurre, sans colo-ration. Quand elles sont translucides, versez le lait et ajoutez le Philadelphia® saumon fumé & aneth. Laissez fondre à feu très doux, rectifiez l'assaison-nement et versez cette sauce dans 4 plats à gratin.

Déposez les mini-quenelles et enfournez 8 à 9 minutes.

Dégustez le gratin dès sa sortie du four, quand les quenelles sont gonflées comme des petits édredons.

Conseil du chef

Vous pouvez aussi parfumer votre Philadelphia® nature avec un brin d'aneth finement ciselé et une généreuse cuillerée à soupe de saumon fumé haché menu.

Côtes d'agneau en chapelure de noisette, purée d'artichaut au Philadelphia®

Préparation : 15 min
Cuisson : 35 min

POUR 4 PERSONNES
1 carré d'agneau
de 12 côtes
100 g de noisettes
50 g de pain d'épice
2 c. à s. de miel
20 cl de vin blanc
1 filet d'huile d'arachide

Pour la purée
6 fonds d'artichaut
200 g de Philadelphia®
light ciboulette

Préchauffez le four à 200 °C (th. 6-7).

Dans une cocotte, avec l'huile d'arachide, faites saisir le carré d'agneau préalablement assaisonné de sel et de poivre. Lorsqu'il est bien coloré sur toutes les faces, laissez-le reposer sur une grille.

Mixez le pain d'épice et mélangez-le avec les noisettes grossièrement hachées. Badigeonnez le carré d'agneau de miel puis recouvrez-le du mélange pain d'épice-noisettes.

Remettez le carré dans la cocotte, versez le vin blanc et enfournez 15 minutes.

Pendant ce temps, faites cuire les fonds d'artichaut dans de l'eau bouillante salée une dizaine de minutes (ils doivent être fondants). Égouttez-les et mixez-les avec le Philadelphia® ciboulette. Ajoutez un peu d'eau de cuisson, si nécessaire, pour obtenir une purée onctueuse.

Découpez le carré d'agneau en 4 portions et servez-les avec un peu de purée d'artichauts au Philadelphia® ciboulette.

Les desserts

Rochers au Philadelphia avec Milka®

Préparation : 12 min
Cuisson : 2 min

POUR 4 PERSONNES
250 g de Philadelphia avec Milka®
100 g de Lu® spéculoos
40 g de pignons de pin

Mixez les spéculoos en chapelure.

Faites torréfier les pignons de pin dans une poêle sans matière grasse et retirez-les dès qu'ils commencent à colorer. Quand les pignons sont froids, incorporez-les au Philadelphia avec Milka®. Malaxez rapidement et formez des boules de la taille d'une noix.

Roulez les boules dans la chapelure de spéculoos.

Réservez au frais jusqu'au moment de déguster.

Financiers à la pistache, émulsion au thé vert

Préparation : 20 min
Cuisson : 10 min
Réfrigération : 1 h

POUR 4 PERSONNES

Pour les financiers
130 g de sucre glace
50 g de farine
50 g de poudre
d'amandes
60 g de pâte de pistache
4 blancs d'œufs
70 g de beurre extrafin

Pour l'émulsion
120 g de Philadelphia®
light nature
30 g de sucre glace
1 c. à c. rase de thé vert
en poudre

Mélangez le sucre glace, la farine et la poudre d'amandes. Ajoutez les blancs d'œufs à température ambiante, au batteur, puis incorporez la pâte de pistache.

Faites fondre le beurre et laissez-le cuire à feu doux jusqu'à ce qu'il prenne une couleur noisette. Versez le beurre sur la préparation précédente et remuez doucement avec une spatule.

Laissez reposer 1 heure au frais.

Pendant ce temps, fouettez énergiquement le Philadelphia® light nature avec le sucre glace et le thé vert jusqu'à ce que le mélange soit mousseux et aéré.

Préchauffez le four à 180 °C (th. 6).

Garnissez 8 moules à financier et enfournez pour 8 minutes. Dressez les financiers tièdes avec des petites quenelles de Philadelphia® au thé vert.

Framboisier minute
à la mousse de Philadelphia®

Préparation : 10 min

POUR 4 PERSONNES
250 g de Philadelphia®
nature
300 g de framboises
3 feuilles de génoise
nature (supermarché)
1 gousse de vanille
80 g de gelée de fruits
rouges
50 g de sucre
10 cl de lait
30 g de zestes de citrons
confits

Ouvrez la gousse de vanille en deux dans le sens de la longueur et prélevez les graines avec la pointe d'un couteau.

Avec un batteur électrique, fouettez le Philadelphia® nature avec le lait, le sucre, le zeste de citron et les graines de vanille. Le mélange doit être bien aérien.

À l'aide d'un emporte-pièce, taillez 12 carrés de génoise. Chaque framboisier est composé de 3 carrés, d'un peu de mousse de Philadelphia® entre les carrés ainsi que d'une couche de framboises bien alignées. Nappez la surface des framboisiers de gelée de fruits rouges et de quelques framboises.

Gâteau marbré

Préparation : 15 min
Cuisson : 48 min

POUR 4 PERSONNES

300 g de farine
4 œufs
150 g de beurre
120 g de sucre
100 g Philadelphia
avec Milka®
100 g Philadelphia® nature
20 cl de lait
1 sachet de levure
chimique

Préchauffez le four à 160 °C (th. 5-6).

Commencez par faire blanchir les jaunes d'œufs avec le sucre. Quand le mélange est bien mousseux, incorporez le beurre fondu puis la farine et la levure.

Répartissez la pâte dans deux saladiers. Faites fondre le Philadelphia avec Milka® avec 10 cl de lait, sur feu très doux, et versez dans un des saladiers. Procédez de la même façon avec le Philadelphia® nature et incorporez au deuxième saladier.

Versez les deux pâtes dans un moule à cake anti-adhésif en juxtaposant les couches pour obtenir l'effet marbré.

Enfournez le gâteau 45 minutes. Laissez refroidir avant de découper de belles tranches.

Un dessert de **Romain Tischenko**

Sablé aux figues

Préparation : 10 min
Cuisson : 15 min
Réfrigération : 1 h

POUR 4 PERSONNES
125 g de Lu® spéculoos
60 g de beurre
30 g de sucre
1 œuf
½ sachet de levure chimique
12 figues
100 g de Philadelphia® nature
1 c. à s. de miel
30 g de zestes d'orange confits

Faites blanchir le sucre et le beurre ramolli. Incorporez l'œuf, les spéculoos réduits en chapelure et la levure. Disposez cette pâte moelleuse dans 4 moules à tartelettes et réservez-les 1 heure au réfrigérateur.

Préchauffez le four à 200 °C (th. 6-7).

Enfournez les fonds de pâte aux spéculoos 10 minutes.

Retirez-les du four, déposez 3 figues incisées en croix sur chaque fond de pâte. Mélangez le Philadelphia® nature avec le miel et glissez-le au cœur des figues. Parsemez de zestes d'oranges.

Poursuivez la cuisson au four 5 minutes à 200 °C (th. 6-7).

Un dessert de **Grégory Cuilleron**

Fondue de fruits au chocolat blanc

Préparation : 10 min
Cuisson : 2 min

POUR 4 PERSONNES
100 g de chocolat blanc
150 g de Philadelphia®
nature
20 cl de lait
1 banane
4 physalis
8 framboises
4 fraises
4 litchis

Confectionnez des petites brochettes en alternant des lamelles de bananes avec d'autres fruits.

Dans une casserole, faites chauffer le lait et le Philadelphia® nature. Hachez le chocolat blanc finement. Hors du feu, incorporez le chocolat blanc dans le Philadelphia® bien chaud et lissez longuement pour faire fondre le chocolat.

Servez cette préparation bien chaude dans des coupelles individuelles avec les brochettes en accompagnement.

Cornet gourmand à la nougatine

Préparation : 15 min
Cuisson : 3 min

POUR 4 PERSONNES
150 g de Philadelphia
avec Milka®
10 cl de lait
1 c. à s. de billes
de chocolat noir

Pour la nougatine
80 g de sucre
40 g d'amandes effilées

Dans une petite casserole, faites fondre le sucre avec 2 cuillerées à soupe d'eau. Quand le caramel prend une belle couleur ambrée, ajoutez les amandes effilées, mélangez et laissez cuire quelques secondes.

Versez un quart de cette préparation sur du papier sulfurisé, étalez finement et formez rapidement un cornet en vous aidant du papier pour plier la nougatine sans vous brûler. Renouvelez l'opération pour les autres cornets.

Laissez refroidir.

Avec un batteur électrique, fouettez longuement le Philadelphia avec Milka® avec le lait.

Au moment de servir, garnissez les cornets d'écume de Philadelphia avec Milka® et parsemez de billes de chocolat noir.

Un dessert de **Romain Tischenko**

Comme un mont-blanc

Préparation : 15 min
Cuisson : 1 h 50
Réfrigération : 2 h

POUR 4 PERSONNES
Pour la meringue
2 blancs d'œufs
100 g de sucre

Pour la garniture
200 g de Philadelphia®
nature
4 marrons glacés

Préchauffez le four à 125 °C (th. 4).

Coupez le Philadelphia® nature en 4 morceaux et placez-les au congélateur au moins 2 heures.

Avec un fouet électrique, montez les blancs d'œufs en neige avec 50 g de sucre. Quand les blancs sont très fermes, incorporez délicatement le reste du sucre avec une écumoire.

Sur une plaque à pâtisserie recouverte de papier sulfurisé, façonnez 4 nuages en meringue. Enfournez 20 minutes puis baissez le four à 100 °C (th. 3) et poursuivez la cuisson pendant 1 heure 30. Réservez les meringues dans un endroit sec.

Au dernier moment, déposez un marron glacé sur chaque meringue. Disposez un cube glacé de Philadelphia® nature dans la moulinette à fromage et recouvrez de copeaux givrés le marron et son socle meringué. Dégustez aussitôt.

Macarons chocolat-marrons

Préparation : 20 min
Cuisson : 15 min

POUR 4 PERSONNES
Pour les biscuits
2 blancs d'œufs
150 g de sucre glace
100 g de poudre
d'amandes
50 g de poudre de cacao
amer

Pour la garniture
200 g de Philadelphia®
nature
100 g de crème
de marrons

Préchauffez le four à 230 °C (th. 7 à 8).

Mélangez le sucre glace, la poudre d'amandes et le cacao. Tamisez tous les ingrédients ensemble.

Montez les blancs d'œufs en neige ferme puis incorporez-les délicatement avec une spatule au mélange précédent.

Versez cette pâte dans une poche, puis moulez 12 petits disques sur une plaque de pâtisserie recouverte de papier sulfurisé. Laissez-les « croûter » 30 minutes à l'air ambiant.

Enfournez les macarons puis baissez aussitôt la température à 180 °C (th. 6) et faites-les cuire 15 minutes.

Laissez refroidir les biscuits sur une grille. Fouettez énergiquement le Philadelphia® nature et la crème de marrons pour obtenir une texture onctueuse. Garnissez les macarons avec cette préparation.

Millefeuille minute de pétales de pomme

Préparation : 15 min
Cuisson : 10 min

POUR 4 PERSONNES
4 pommes golden
1 citron
200 g de Philadelphia®
nature
2 c. à s. de miel
40 g de beurre
40 g de sucre

Avec un vide-pomme, retirez les trognons des fruits. Émincez les pommes avec une mandoline. Citronnez-les pour éviter qu'elles ne noircissent. Faites-les dorer quelques instants dans une poêle avec un peu de beurre et de sucre (en plusieurs fournées).

Laissez tiédir les lamelles de pommes. Mélangez le Philadelphia® nature avec le miel. Tartinez les lamelles de pommes avec le Philadelphia® sucré et empilez-les en essayant de reconstituer au mieux la forme du fruit.

Direction : Stéphanie Pelleray (M6 Editions), Catherine Saunier-Talec (Hachette Pratique)
Responsable éditoriale : Anne la Fay
Edition : Olivia Sarini, assistée de Jérôme Petitprez (M6 Editions), Anne Vallet (Hachette Pratique)
Collaboration éditoriale : Les Sardines Filantes
Relecture : Pascale Cancalon
Conception graphique : Julie Lamy
Crédits photographiques : © M6 Editions

Avec la collaboration de Philadelphia.

Pour l'éditeur, le principe est d'utiliser des papiers composés de fibres naturelles, renouvelables,
recyclables et fabriqués à partir de bois issus de forêts qui adoptent un système d'aménagement
durable. En outre, l'éditeur attend de ses fournisseurs de papier qu'ils s'inscrivent dans une démarche
de certification environnementale reconnue.

Dépôt légal : mai 2013
23-27-1256-01-9
ISBN : 978-2-01-231256-2
Imprimé en Espagne par Estella